U0116306

玄秘塔碑

彩色放大本中國著名碑帖

孫寶文 編

唐故左街僧録内
供奉三教談論
引駕大德安
國寺上座賜紫
大達法師玄秘

唐故左街僧録内供奉三教談論引駕大德安國寺上座賜紫大達法師玄秘

塔碑銘并序
江南西道都團
練觀察處置等
使朝散大夫兼
御史中丞上柱

塔碑銘并序江南西道都團練觀察處置等使朝散大夫兼御史中丞上柱

國賜紫金魚袋
裴休撰
正議大夫守右
散騎常侍充集
賢殿學士兼判

國賜紫金魚袋裴休撰正議大夫守右散騎常侍充集賢殿學士兼判

端玄權紫院
甫祕書金事
骨塔并魚上
之者篆袋柱
所大額柳國
歸法玄公賜

院事上柱國賜紫金魚袋柳公權書并篆額 玄秘塔者大法師端甫□骨之所歸

也於戲爲丈夫者
在家則張仁義禮
樂輔天子以扶
世導俗出家則運
慈悲定慧佐

也於戲爲丈夫者在家則張仁義禮樂輔天子以扶世導俗出家則運慈悲定慧佐

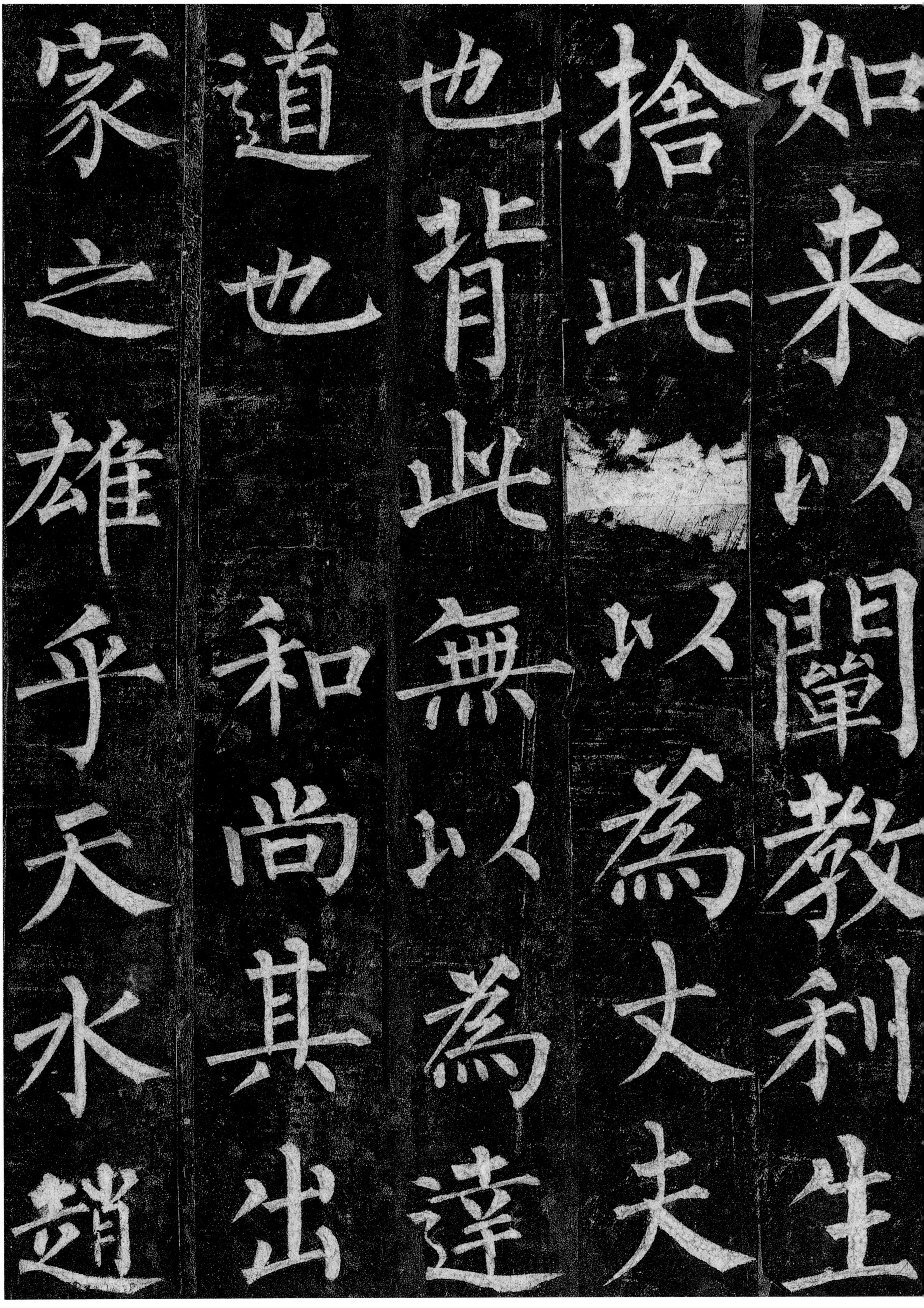

如来以闡教利生
捨此以爲丈夫
也背此無以爲達
道也和尚其出
家之雄乎天水趙

如來以闡教利生捨此□以爲丈夫也背此無以爲達道也和尚其出家之雄乎天水趙

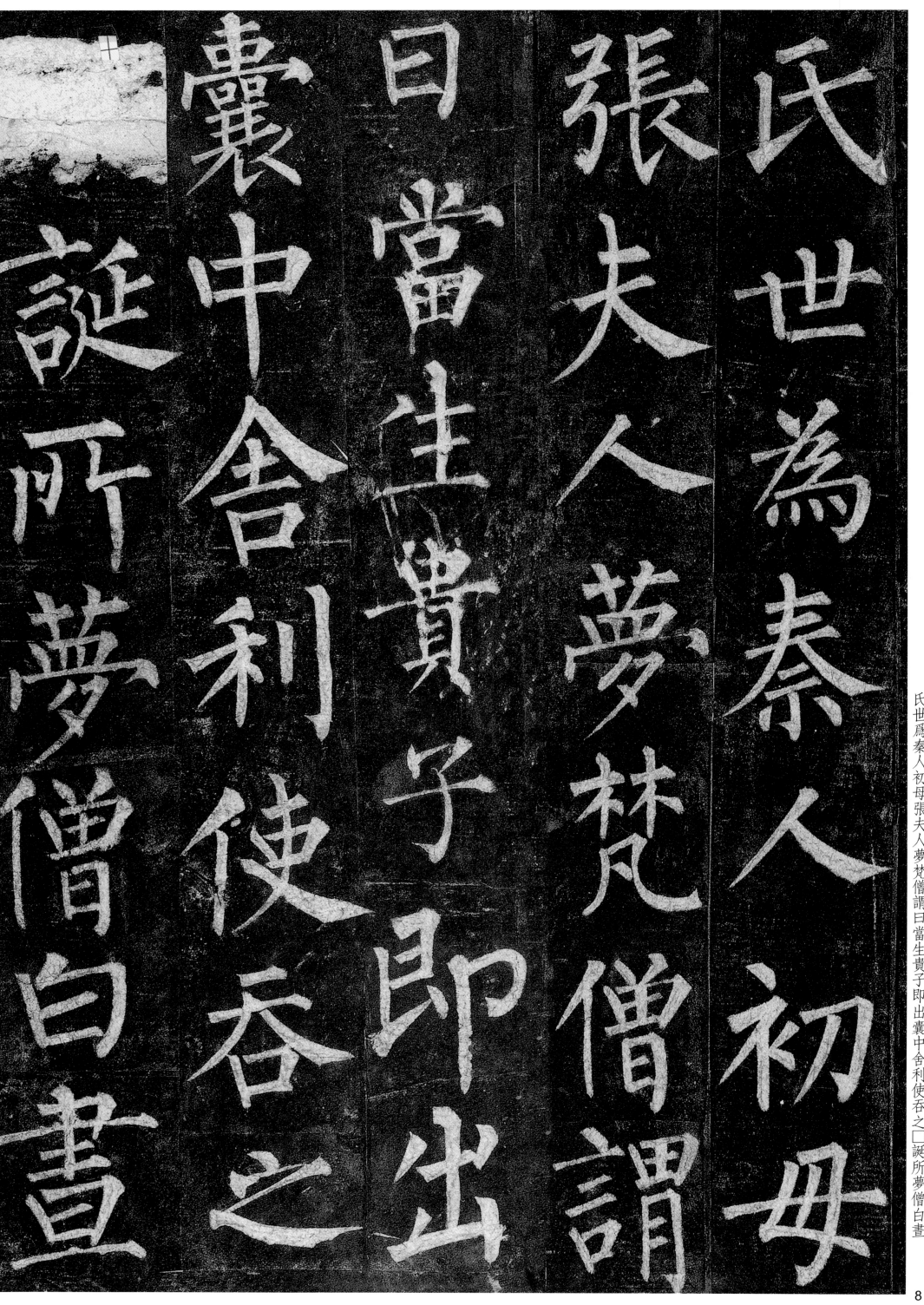

氏世為秦人初毋
張夫人夢梵僧謂
曰當生貴子即出
囊中舍利使吞之
□誕所夢僧白晝

氏世爲秦人初母張夫人夢梵僧謂曰當生貴子即出囊中舍利使吞之□誕所夢僧白晝

入其室摩其頂曰
必當大弘法教言
訖而滅既成人高
額深目大頤方口
長六尺五寸其音

入其室摩其頂曰必當大弘法教言訖而滅既成人高額深目大頤方口長六尺五寸其音

如鍾夫將欲荷
如来之菩提
靈之耳目固必有
殊祥奇表歟始十
歲依崇福寺道悟

如鍾(鐘)夫將欲荷如來之菩提□□靈之耳目固必有殊祥奇表歟始十歲依崇福寺道悟

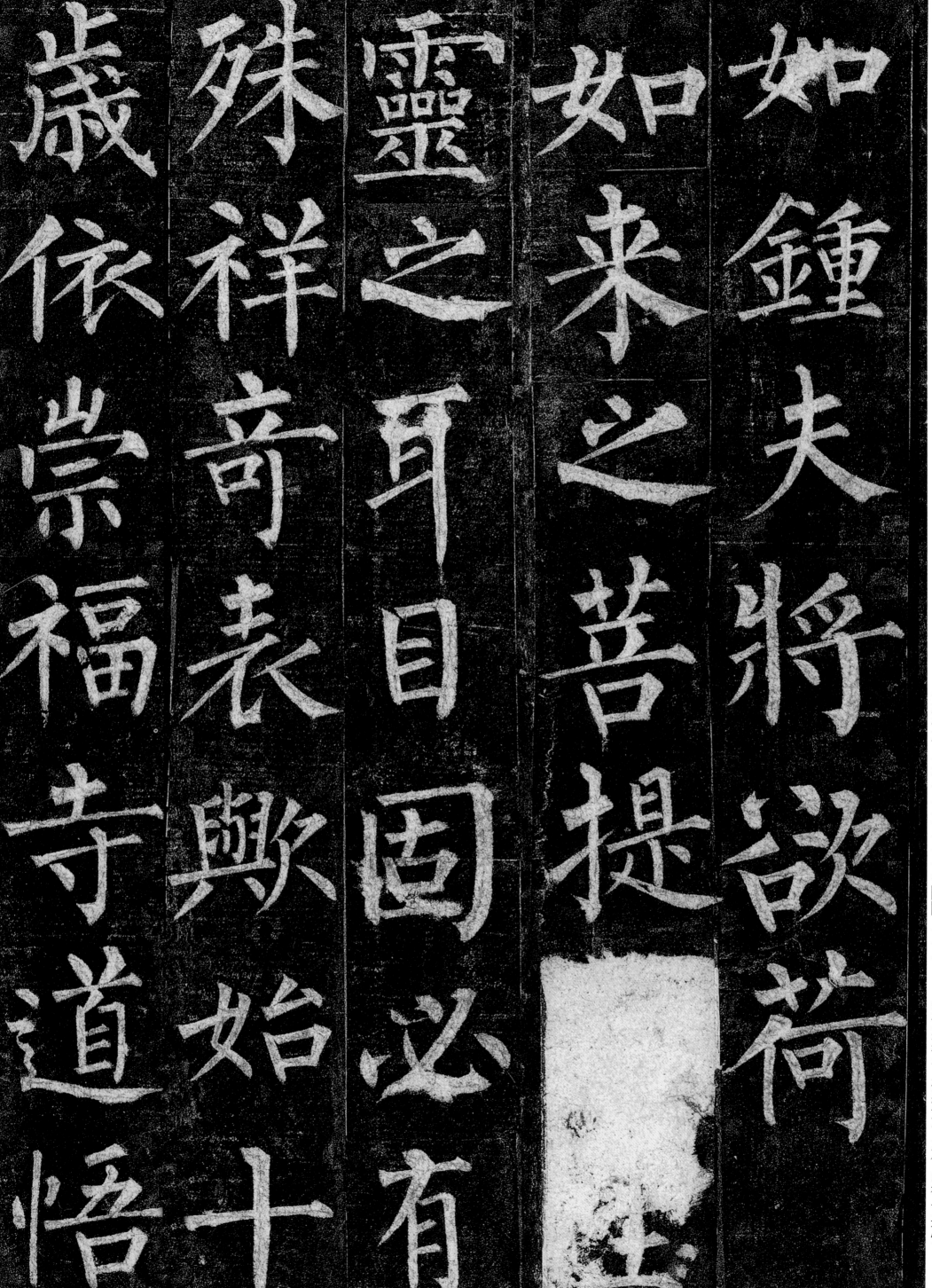

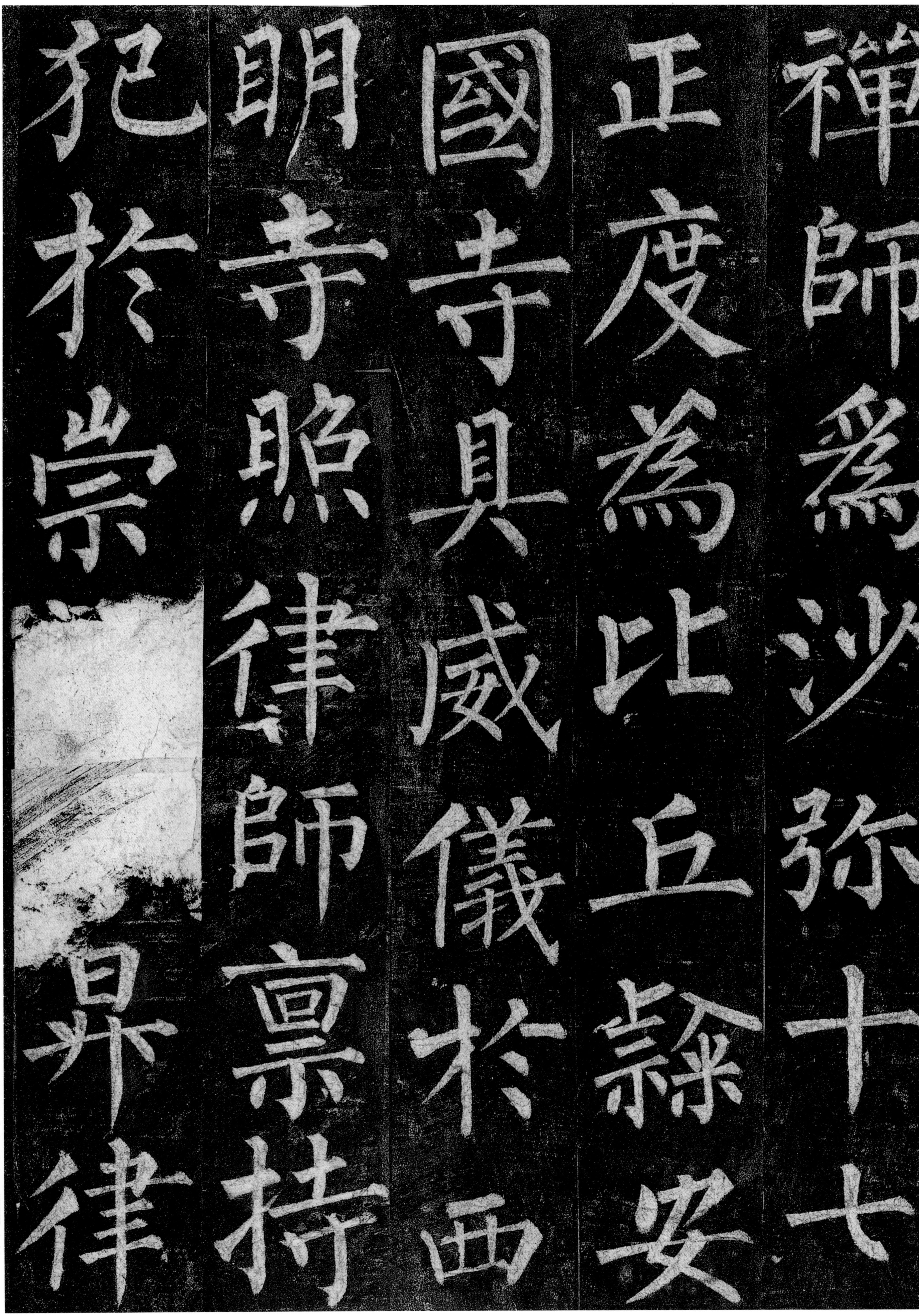

禪師爲沙彌十七正度爲比丘隸安國寺具威儀於西明寺照律師稟持犯於崇□□昇律

師傳唯識大義於安國寺素法師通涅槃大旨於福林寺崟法師復夢梵僧以舍利滿琉璃

器使吞之且曰三藏大教盡貯汝腹矣□□經律論無敵於天下囊括川注逢源會委滔滔

然莫能濟其畔岸
矣夫將欲伐株杌
於情田雨甘露於
法種者固必有勇
智宏辯歟無何

然莫能濟其畔岸矣夫將欲伐株杌於情田雨甘露於法種者固必有勇智宏辯歟無何□

文殊於清涼衆聖
皆現演大經於太
原傾都畢會
德宗皇帝聞其名
徵之一見大悅常

文殊於清涼衆聖皆現演大經於太原傾都畢會德宗皇帝聞其名徵之一見大悅常

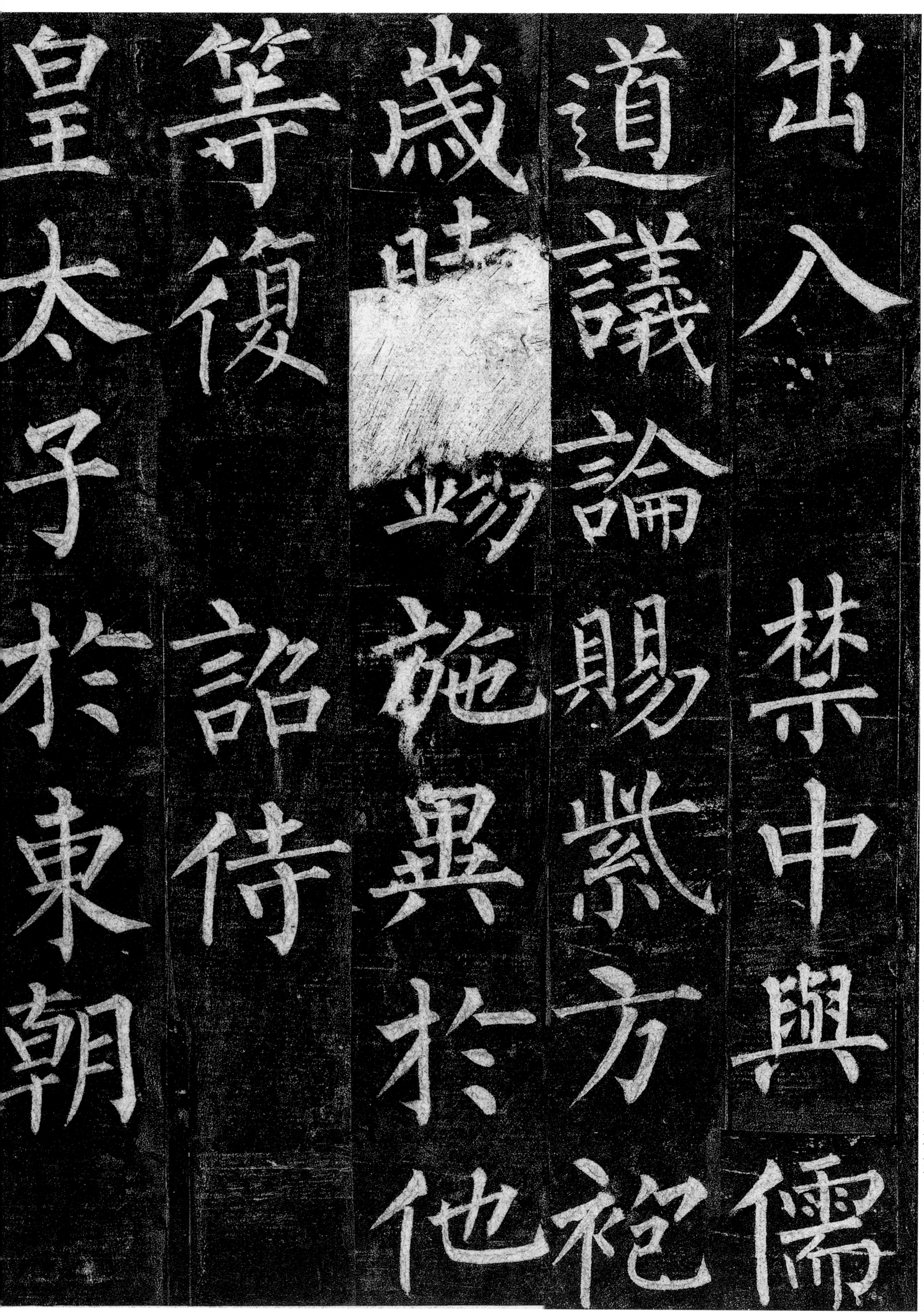

出入禁中與儒道議論賜紫方袍歲時錫施異於他等復詔侍皇太子於東朝

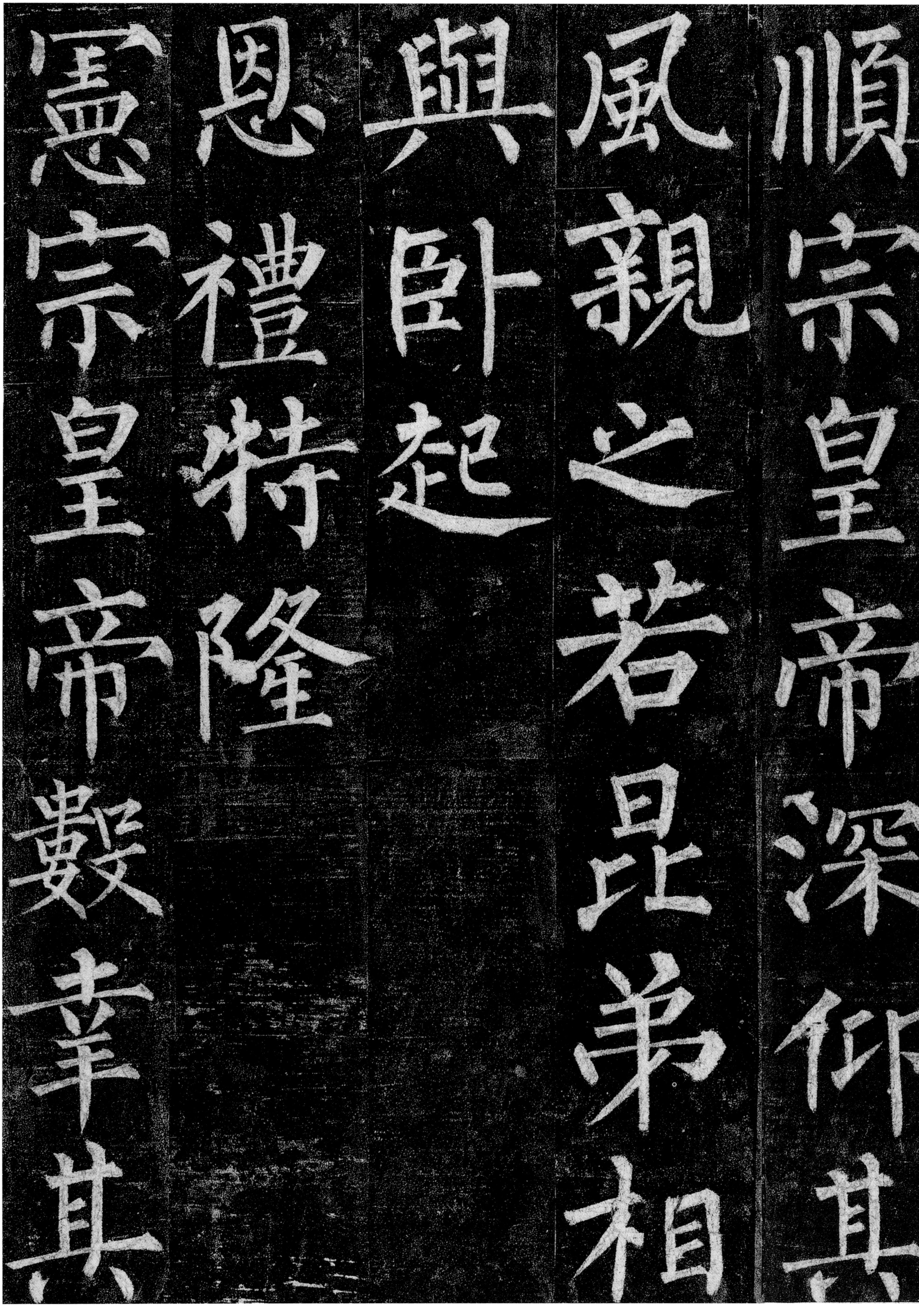
順宗皇帝深仰其
風親之若昆弟相
與卧起
恩禮特隆
憲宗皇帝數幸其

順宗皇帝深仰其風親之若昆弟相與卧起恩禮特隆憲宗皇帝數幸其

寺待之□賓友常
承顧問注納偏
厚而和尚符彩
超邁詞理響捷迎
合上旨皆契真

寺待之□賓友常承顧問注納偏厚而和尚符彩超邁詞理響捷迎合上旨皆契真

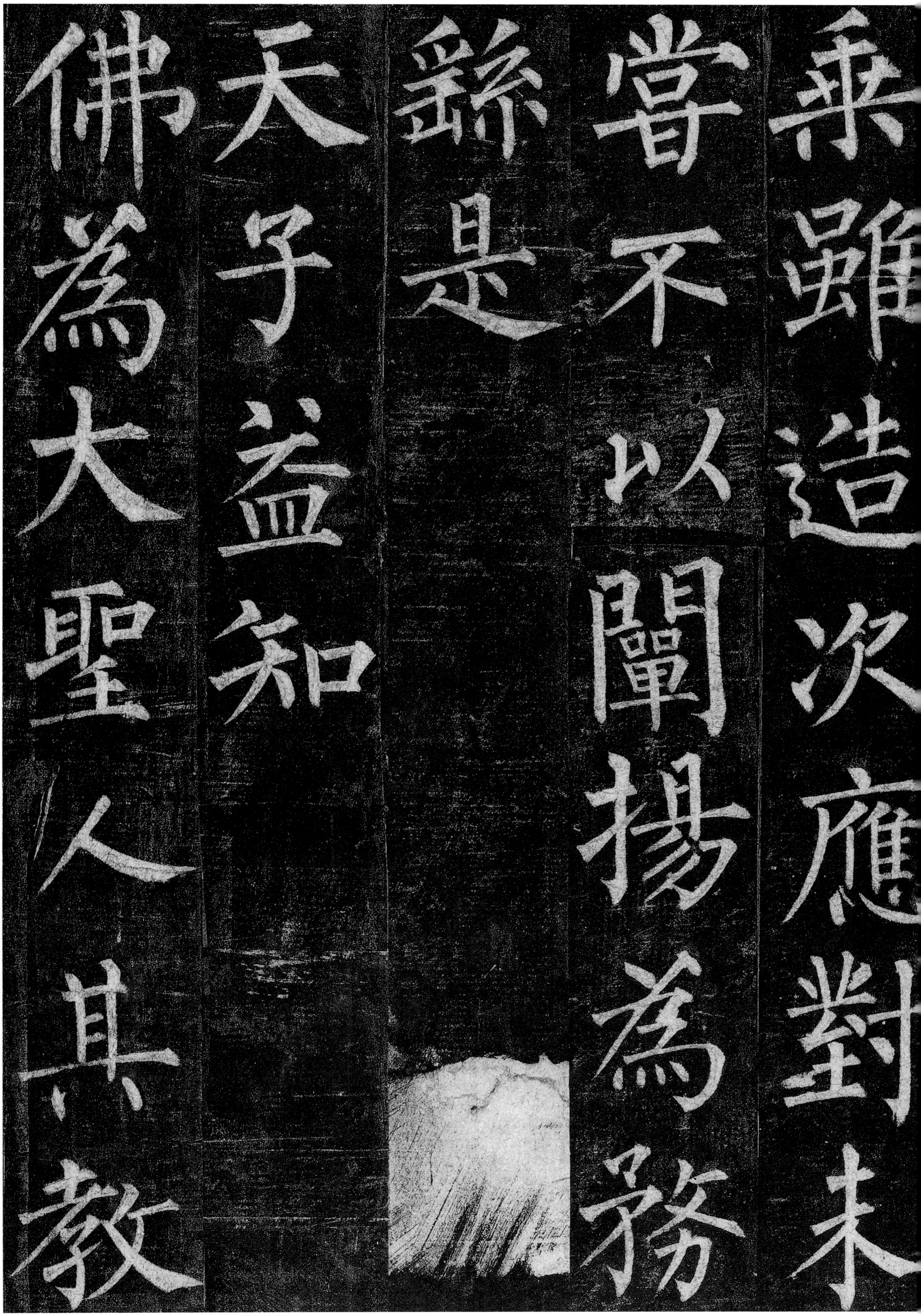

乘雖造次應對未嘗不以闡揚爲務繇是天子益知佛爲大聖人其教

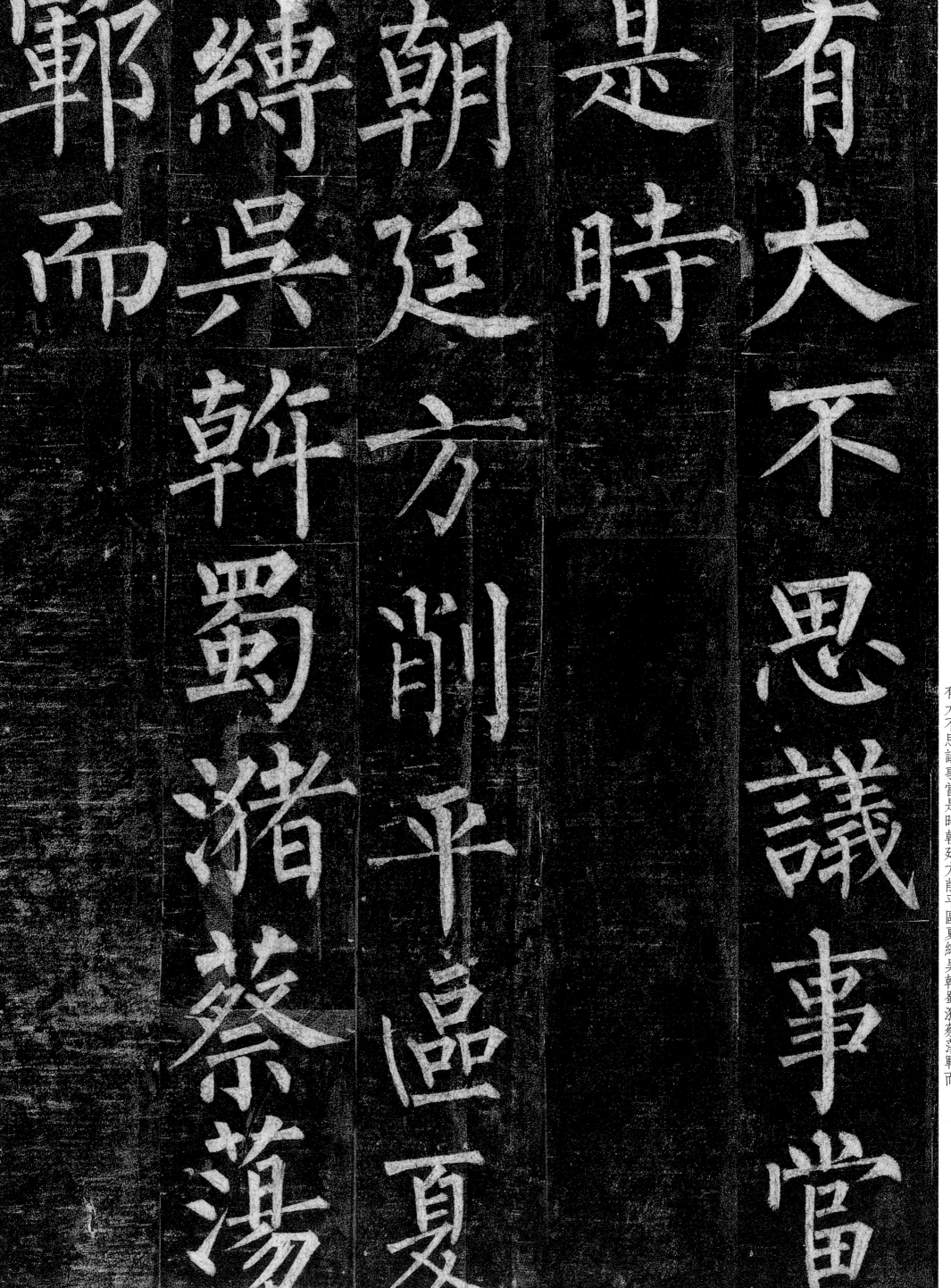

有大不思議事當
是時
朝廷方削平區夏
縛吳斡蜀潴蔡蕩
鄆而

有大不思議事當是時朝廷方削平區夏縛吴斡蜀潴蔡蕩鄆而

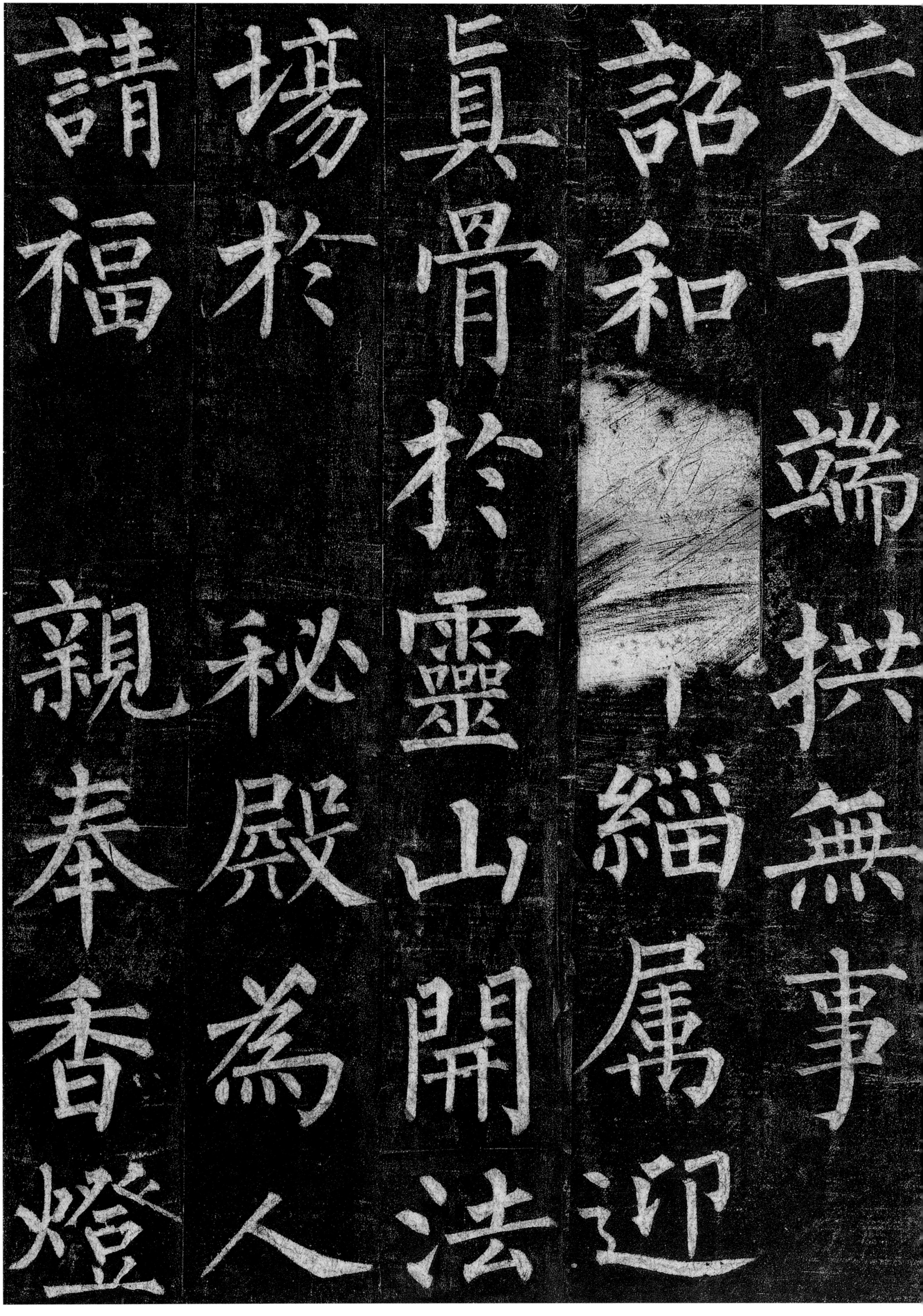

天子端拱無事詔和□□緇屬迎真骨於靈山開法場於秘殿爲人請福親奉香燈

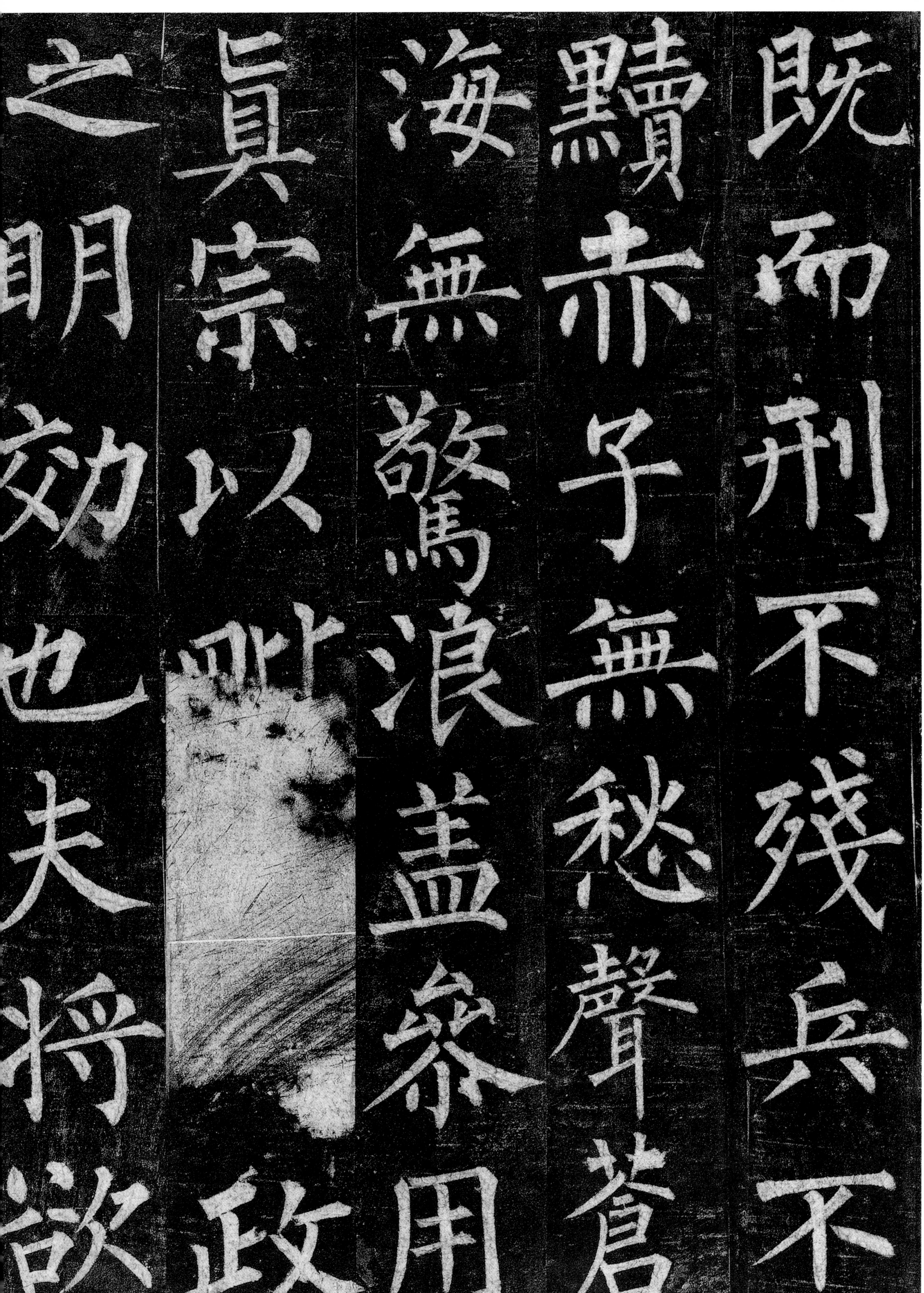
既而刑不殘兵不
黷赤子無愁聲蒼
海無驚浪蓋參用
眞宗以毗
政
之明効也夫將欲

既而刑不殘兵不黷赤子無愁聲蒼海無驚浪盖參用真宗以毗□□政之明効也夫將欲

顯大不思議之道
輔大有爲之君固
必有冥符玄契歟
掌内殿法儀録
左街僧事以摽表

顯大不思議之道輔大有爲之君固必有冥符玄契歟掌内殿法儀録左街僧事以摽表

净衆者凡一十年講涅□□識經論處當仁傳授宗主以開誘道俗者凡一百六十座運三

密於瑜伽契無生於悉地日持諸部十餘万遍指淨土爲息肩之地嚴金報法之恩前

密於瑜伽契無生於悉地日持諸部十餘万遍指浄土爲息肩之地嚴金□□報法之恩前

後供施數十百万悉以崇飾殿宇窮極雕繪而方丈匡床静慮自得貴臣盛族皆所依慕豪

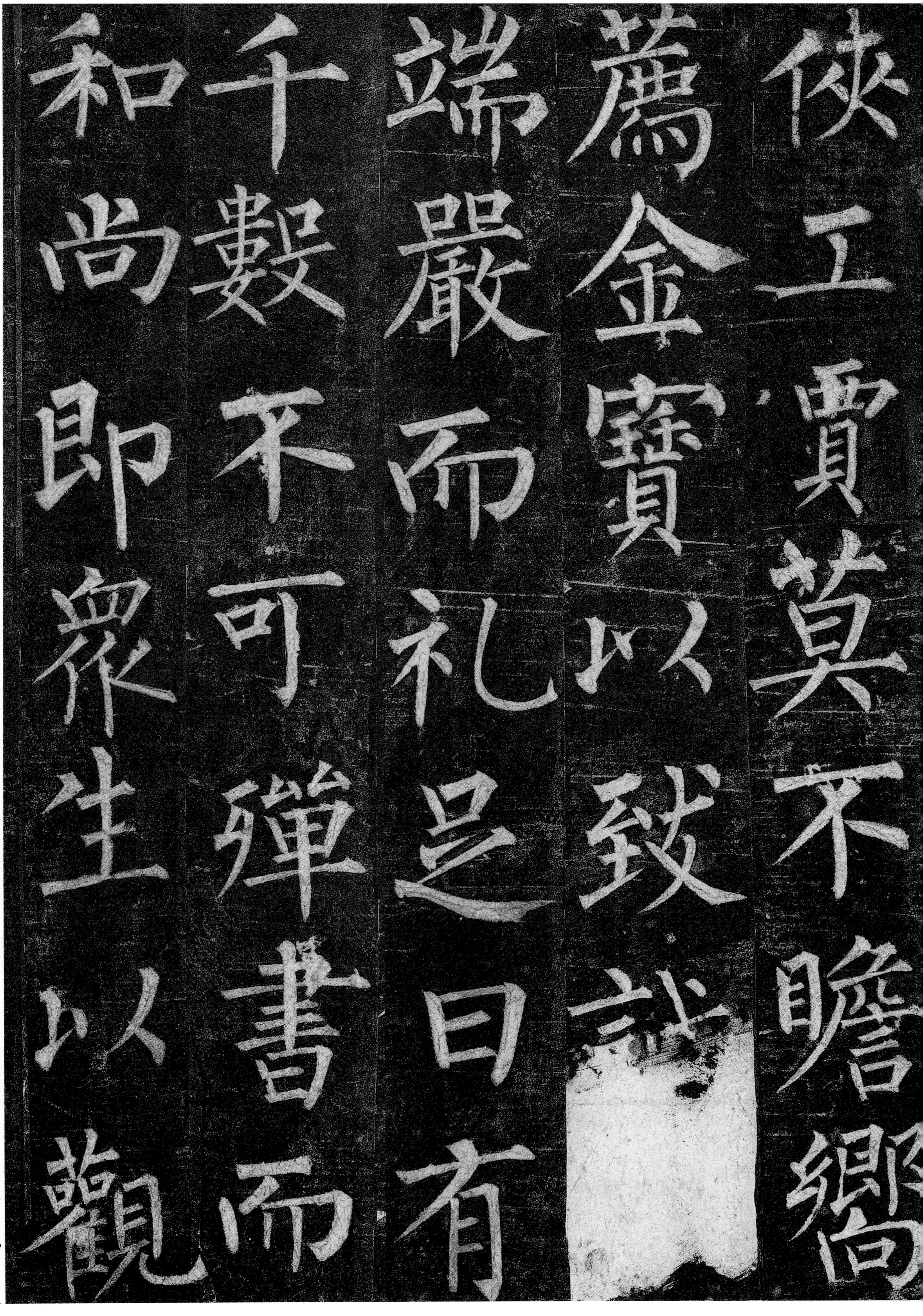

俠工賈莫不瞻嚮薦金寶以致誠□端嚴而禮足日有千數不可殫書而和尚即衆生以觀

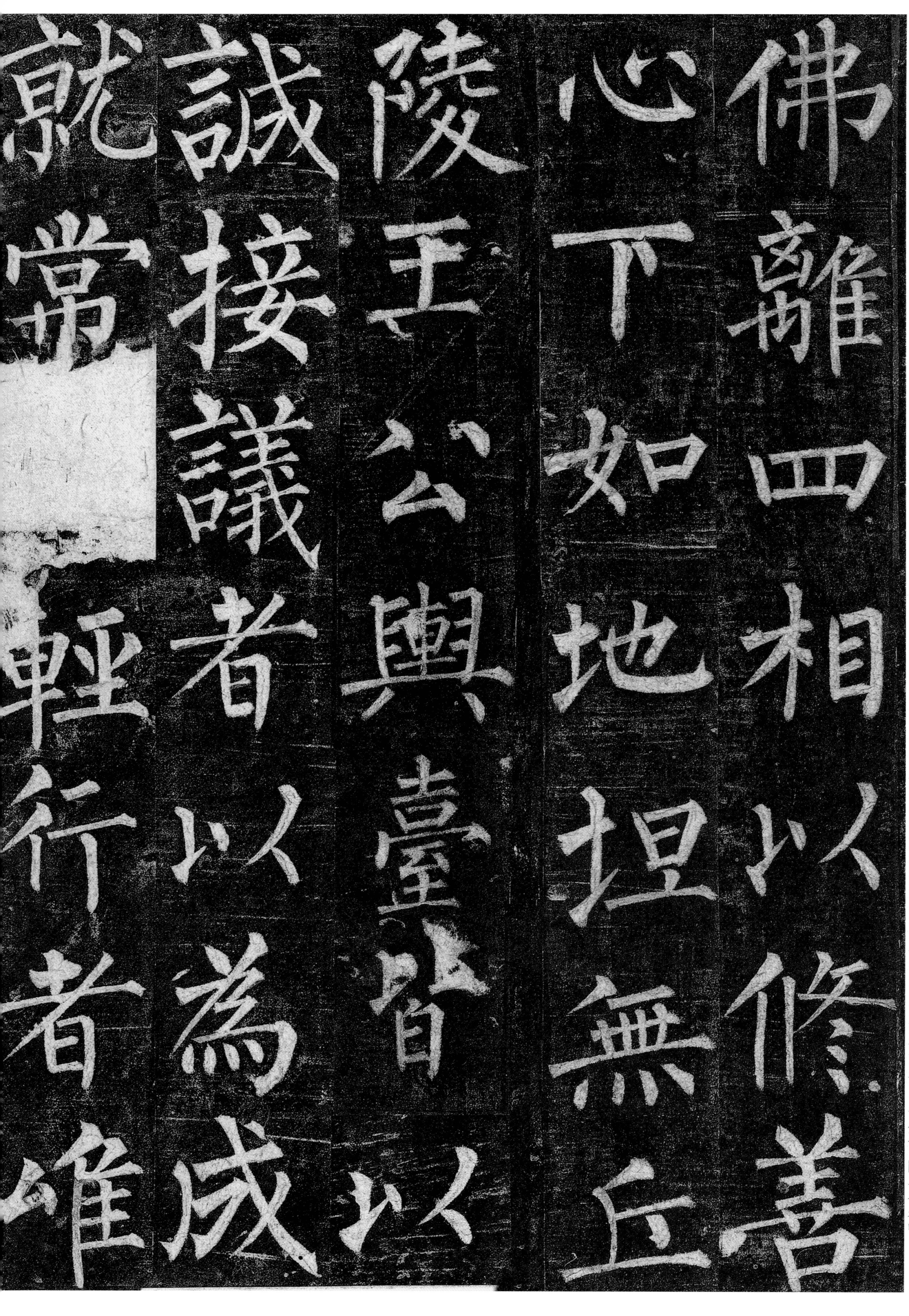

佛離四相以修善心下如地坦無丘陵王公輿臺皆以誠接議者以爲成就常□輕行者唯

和尚而已夫將欲駕横海之大航拯迷途於彼岸者固必有奇功妙道歟以開成元年六月

和尚而已夫將欲駕横海之大航拯迷途於彼岸者固必有奇功妙道歟以開成元年六月

一日西向右脅而滅當暑而尊容□生竟夕而異香猶鬱其年七月六日遷於長樂之南原

遺命荼毗得舍利三百餘粒方熾而神光月皎既燼而靈骨珠圓賜謚曰大達塔曰□秘俗

壽六十七僧臘卅
八門弟子比丘比
丘尼約千餘輩或
講論玄言或紀綱
大寺脩禪秉律分

壽六十七僧臘卅八門弟子比丘比丘尼約千餘輩或講論玄言或紀綱大寺脩禪秉律分

作人師五十其徒皆爲達者於戲和尚□出家之雄乎不然何至德殊祥如此其盛也承

襲弟子義均自政正言等克荷先業虔守遺風大懼徽猷有時堙沒而今閤門使劉公法□

最深道契彌固亦以爲請願播清塵休嘗游其藩備其事隨喜讚歎盖無愧辭銘曰

賢劫千佛第四能仁哀我生靈出經破塵教綱高張孰辯孰分有大法師如從親聞經律

論藏戒定慧學深淺同源先後相覺異宗偏義孰正孰駮有大法師爲作霜雹趣真則滯

涉俗則流象狂猿輕鉤檻莫收梔制刀斷尚生瘡疣有大法師絕念而游巨唐啓運

游有大
法師絕念而

刀斷
尚生瘡疣

輕鉤檻莫收梔
制

涉俗則流象狂猿

巨唐啓運

大雄垂教千載冥
符三乘迭耀寵
重恩顧顯闡讚導
有大法師逢時感
召空門正闢法宇

大雄垂教千載冥符三乘迭耀寵重恩顧顯闡讚導有大法師逢時感召空門正闢法宇

方開崢嶸棟梁一
旦而摧水月鏡像
無心去來徒令後
學瞻仰徘徊
會昌元年十二月

方開崢嶸棟梁一旦而摧水月鏡像無心去來徒令後學瞻仰徘徊會昌元年十二月